D0582357

Les Éditions du Boréal
4447, rue Saint-Denis
Montréal (Québec) H2J 2L2
www.editionsboreal.qc.ca

Le Trésor de Zanlepif

DU MÊME AUTEUR

Le Message du biscuit chinois, Boréal, 1998.

Hugo et les Zloucs, Boréal, 2000.

Alexis, chevalier des nuits, 400 coups, 2001.

Le Mystère des nuits blanches, Pierre Tisseyre, 2001.

Chasseur de goélands, Boréal, 2001.

Simon et Violette, Pierre Tisseyre, 2001.

Andrée-Anne Gratton

Le Trésor de Zanlepif

Illustrations de Christian Daigle

Boréal

Les Éditions du Boréal remercient le Conseil des Arts du Canada
ainsi que le ministère du Patrimoine canadien et la SODEC
pour leur soutien financier.

Les Éditions du Boréal bénéficient également du Programme
de crédit d'impôt pour l'édition de livres du gouvernement du Québec.

Maquette de la couverture : Lucie Coulombe et Guy Verville

Dépôt légal : 1er trimestre 2002
Bibliothèque nationale du Québec

Diffusion au Canada : Dimedia
Distribution et diffusion en Europe : Les Éditions du Seuil

Données de catalogage avant publication (Canada)

Gratton, Andrée-Anne, 1956-
Le Trésor de Zanlepif
(Boréal junior ; 77)
Pour les jeunes de 10 ans et plus.

ISBN 2-7646-0161-1

I. Daigle, Christian 1968- . II. Titre. III. Collection.

PS8563.R379T73 2002 jc843'.54 C2002-940239-5
PS9563.R379T73 2002
PZ23.G72Tr 2002

À Florence, Louis-Charles
et Alexandre, pour quand
ils seront plus grands.

Et à Julie, qui est
déjà trop grande.

1

L'ANNONCE D'UNE CHASSE

— Tu te rends compte, Octave ! Deux vélos 24 vitesses à suspension double avec des dérailleurs Shimano ! Bleu électrique, en plus !

— Pas si vite, Hugo ! On ne les a pas encore gagnés.

— Betterave marinée ! Sois optimiste !

C'est le début de la semaine du carnaval à notre école. Monsieur Bélanger, le directeur, nous a réunis dans la grande salle pour nous présenter les activités. Celle qui me passionne le plus, même si elle n'est pas encore commencée, c'est la chasse au trésor. J'ai déjà décidé que mon

meilleur ami Octave serait mon partenaire. Tous les élèves rêvent de trouver le trésor : deux vélos superéquipés ! Mais moi, Hugo Pelletier, je suis sûr que j'en rêve encore plus que les autres.

— Le trésor est caché à l'intérieur de l'école, précise monsieur Bélanger. C'est un coffre en bois de la taille d'une boîte à chaussures. Il contient les deux clés qui permettront à l'équipe gagnante d'ouvrir les cadenas des vélos.

J'écoute à peine le discours du directeur tellement je suis excité. Je me vois déjà en train de dévaler les rues, de monter les plus grosses côtes en dépassant tout le monde et de déraper en faisant des tête-à-queue. Mon ami ne partage pas mon enthousiasme. Il prend un air de perdant avant même d'avoir commencé. Moi, je suis persuadé de gagner. Au cours des prochains jours, mon cerveau sera totalement consacré à cette chasse.

Octave m'envoie un coup de coude pour me faire sortir de la lune ! Pendant que j'atterris, le directeur continue à donner les consignes.

— Dans quelques minutes, je vous lirai le premier indice. Celui-ci vous mènera à un deuxième, le deuxième à un troisième et ainsi de suite. Cinq indices vous guideront jusqu'à la cachette du trésor. Pendant les heures de lunch, vous pourrez circuler librement dans l'école à la recherche de la bonne piste. N'hésitez pas à interroger le personnel et les animateurs du carnaval.

Monsieur Bélanger regarde à gauche, puis à droite, comme s'il cherchait quelqu'un. Il continue :

— Ces animateurs ne sont pas encore arrivés, mais ils ne sauraient tarder. Ils viennent du cirque Envol et passeront la semaine avec nous.

Il nous parle ensuite de la kermesse qui se déroulera dans la grande salle pendant les récréations. Il y aura des jeux d'adresse dirigés par un cow-boy, des compétitions de ping-pong et des ateliers de maquillage. Des spectacles seront donnés par un cracheur de feu qui marche sur des braises et qui dort sur un lit de clous. Drôle d'énergumène !

— Voici une mise en garde pour la chasse au trésor, ajoute le directeur. Soyez vigilants, car les animateurs pourraient vous envoyer sur une mauvaise piste. Posez les bonnes questions ! Et, lorsque vous aurez trouvé un indice, remettez-le à sa place pour que toutes les équipes aient la même chance de gagner.

Comme j'ai la tête tournée vers l'arrière, Octave me ramène une fois de plus à ce qui se passe à l'avant.

— Écoute, Hugo, le directeur va donner le premier indice.

Monsieur Bélanger déroule un grand parchemin sur lequel on peut lire la phrase suivante :

MIROIR, Ô MIROIR,
DIS-MOI QUI EST LA PLUS BELLE !

— La chasse au trésor est ouverte ! Que les meilleurs gagnent !

2

UN MESSAGE INTRIGANT

Au milieu de la matinée, Michel, mon professeur, me demande d'aller faire une photocopie au secrétariat. Je suis très étonné, car d'habitude je ne suis pas son premier choix pour ce genre de corvée. Comme je gagne souvent la médaille du plus tannant de la classe, il n'aime pas me voir errer dans les corridors.

— Surtout, Hugo, ne traîne pas ! ajoute-t-il.

Avant de sortir de la classe, je dresse un pouce en l'air à l'intention de mon ami Octave. Dans notre langage, cela veut dire que je ne vais pas me contenter de rendre service à Michel. J'en profiterai pour passer chercher quelque chose dans ma boîte à lunch. Ou pour inspecter les miroirs de l'école à la recherche du deuxième indice...

Le calme plat règne à l'étage. On ne dirait pas que c'est la semaine du carnaval ! Seul Boris, le concierge de l'école, promène sa vadrouille le long des murs. Première destination : le gymnase. Zut ! La porte est fermée à clé. Je ne peux donc pas y entrer pour flâner quelques minutes. Tant pis ! Allons à côté faire la photocopie.

Clément Labelle, un des profs de sixième année, sort du secrétariat, un paquet de feuilles dans les mains.

— Bonjour, Hugo !

— Bonjour !

Je soulève le couvercle de la photocopieuse. Oh ! Clément a oublié une feuille. Je la lui rapporterai tantôt. Ça me donnera un bon prétexte pour ne pas retourner en classe tout de suite.

Je ressors avec ma photocopie et la feuille oubliée.

La classe de Clément est au deuxième étage. Il m'aperçoit dans l'embrasure de la porte.

— Oui, Hugo ?

— Vous avez oublié cette feuille dans la photocopieuse.

Après avoir dévoré des yeux ce qui s'y trouve, Clément me la rend.

— C'est gentil de ta part, mais elle ne m'appartient pas. Je n'ai pas touché à la photocopieuse.

— Ah…

— Je suis seulement allé chercher des photocopies qui était prêtes pour moi, sur la table à côté.

— Ah…

— Va la déposer au secrétariat. Quelqu'un finira bien par se rendre compte de son oubli.

En revenant au premier étage, je jette un coup d'œil sur ce papier. Oh ! C'est un plan ! On dirait le dessin de l'intérieur de l'école. Je repère l'escalier au centre et ceux qui se trouvent à chaque bout du bâtiment. Au milieu de la page, il est écrit, en caractères d'imprimerie :

LE CLUB DES CHERCHEURS D'OR
À LA RECHERCHE DU VRAI TRÉSOR
RENDEZ-VOUS AU GRENIER
LUNDI À 4 HEURES

Qu'est-ce que signifie ce message ? Qui a pu l'oublier dans la photocopieuse ? Est-ce que ça pourrait être le deuxième indice ? Je ne savais pas qu'il y avait un grenier dans l'école ! En tout cas, je garde cette feuille. Pas question d'aller la remettre au secrétariat. Je la plie en quatre et la glisse dans ma poche.

De retour en classe, Michel me regarde avec une question dans les yeux. Je décode : « Pourquoi as-tu pris tant de temps ? »

— Euh… je n'ai pas traîné, mais j'ai aidé Clément Labelle… euh… je croyais qu'il avait oublié une…

— Bon, ça va Hugo. Ménage ta salive. La prochaine fois, j'enverrai Octave. Ça ira plus vite.

Betterave marinée ! Je n'ai pas flâné ! Je ne suis même pas allé ouvrir ma case ni voir les miroirs des toilettes ! Ça m'apprendra à dire la vérité !

En regagnant ma place, je tapote la poche de mon pantalon pour indiquer à Octave que j'ai ramassé quelque chose de spécial. Il se retourne fréquemment pour savoir ce que je dissimule. Je lui fais signe : pas tout de suite. Si Michel remarquait cette feuille, il pourrait me la confisquer.

DRIIIIIIIIIING !

La cloche annonce l'heure du dîner. Tout le monde se rue hors de la classe, Octave sur mes talons.

— Allez, Hugo, montre-moi ce que tu caches dans ta poche.

— Attends qu'on soit tout seuls. Personne ne doit voir ça.

Lorsque tout le monde est descendu à la grande salle sauf nous deux, je sors le plan de ma poche et l'exhibe fièrement sous les yeux d'Octave.

— T'as trouvé le deuxième indice ! s'exclame-t-il.

— Je ne sais pas. C'est peut-être un rendez-vous secret !

— Pourquoi tu dis ça ?

Mon ami me décourage, parfois. Il faut tout lui expliquer.

— Un club de chercheurs d'or, un trésor qu'on appelle VRAI trésor, tu ne trouves pas ça étrange, toi ?

— Ouais… Mais c'est peut-être une mauvaise piste, aussi. Souviens-toi de la mise en garde du directeur. Moi, je trouve qu'un rendez-vous à 4 heures, c'est louche. Et d'abord, où l'as-tu trouvée, cette feuille ?

— Sous le couvercle de la photocopieuse.

Nous crions en même temps :

— La photocopieuse ! Miroir, ô miroir !

Betterave marinée ! La vitre de la photocopieuse, c'est comme un miroir ! En se penchant au-dessus d'elle, on peut se voir ! La feuille mène sûrement au deuxième indice. Nous sommes sur la bonne voie !

3

BANG! BANG! AU GRENIER

Octave et moi, nous dînons côte à côte. Les animateurs du cirque sont arrivés. Le cow-boy est un Asiatique habillé en cow-boy ! Ses dents sont tellement longues et jaunes qu'il pourrait facilement se déguiser en vampire. Pour le reste, rien ne manque : le chapeau, la chemise à carreaux, la veste, les bottes et la ceinture avec deux pistolets. J'espère que ce ne sont pas des vrais !

Le cracheur de feu est drôlement accoutré, lui aussi. Il porte un pantalon bouffant aux couleurs vives, une blouse blanche et de grandes bottes de cuir. Un

foulard du même tissu que son pantalon est noué sur sa nuque. Une quantité phénoménale de bijoux — colliers, bracelets et boucles d'oreilles — le font ressembler à un sapin de Noël !

Pendant que les deux bouffons exécutent un numéro de jonglerie sur la scène, je chuchote à l'oreille d'Octave :

— Je vais aller au rendez-vous, cet après-midi.

Octave me fait les gros yeux.

— Sans en parler à personne ? D'abord, tu ne sais même pas où se trouve l'entrée du grenier.

— Ça doit être indiqué sur le plan ! Sinon, je me débrouillerai bien pour la trouver. Un grenier, ce n'est quand même pas au sous-sol !

— Et comment tu vas expliquer ton retard, chez toi ?

Betterave marinée ! Je trouve que mon ami n'a pas d'imagination ! C'est pourtant simple de trouver une excuse pour ses parents.

— Je vais appeler ma mère après l'école. Je lui dirai que je suis chez toi pour commencer un travail d'équipe.

Octave prend son air de lâcheur. Celui qui signifie : « Fais ce que tu veux, mais ne me mêle pas à ça. »

De retour en classe, je demande à Michel :

— Est-ce qu'il y a un grenier dans l'école ?

— Oui, Hugo.

— Comment on peut y aller ?

— Je crois qu'on y accède par la porte étroite à côté de la classe de maternelle. Mais qui t'a parlé du grenier ?

— Oh… euh… personne. Je suis curieux, c'est tout.

Tout l'après-midi, je surveille l'horloge. Enfin, trois heures trente ! En sortant de la classe, je rappelle à Octave notre entente. En fait, ce n'est pas vraiment une entente, parce qu'il n'était pas tout à fait d'accord. Sa mine bougonne me le prouve bien. Mais je sais qu'en cas de pépin il ne me trahira pas.

Je me faufile vite au deuxième étage et je vais me cacher dans les toilettes. Si je suis le seul à avoir trouvé le deuxième indice, je ne veux rien dévoiler aux autres équipes. À l'heure prévue, je passe ma tête dans l'embrasure de la porte pour voir si le corridor est libre. Oh ! Je vois Clément sortir du grenier. Il fonce vers l'escalier central, le sourire aux lèvres, comme si on venait de lui raconter une bonne blague.

Lorsque la voie est libre, je frôle les murs jusqu'à l'étroite porte du grenier. Je tourne la poignée. Bingo ! Elle n'est pas verrouillée ! Je me trouve face à un escalier en bois dont les marches paraissent avoir deux cents ans d'usure. Je monte en prenant garde de ne pas faire craquer le vieux bois. Tout en haut, une autre porte est fermée. Mais soudain, elle s'ouvre toute grande.

C'est le cow-boy! Il prend un de ses pistolets, le fait tourner dans sa main et le remet dans sa ceinture.

— Houppi-laï-daï-daï! Bang! Bang! Tu viens assister à la réunion? Tu es un membre du club?

— Un mem…

— Hé bien, la réunion est reportée. Boris n'a pas pu se libérer.

— Boris?

— Oui, Boris-Bzzz-Bzzz.

— … Bzzz-Bzzz?

— Croûte de pizza! Cesse de répéter tout ce que je dis! Tu veux me rendre service? Tiens, voici un nouveau message. Tu sais où aller le déposer?

— Euh…

— Brave garçon! conclut-il en me donnant une tape sur l'épaule.

Puis il me ferme la porte au nez. Un vrai courant d'air, ce cow-boy! Il doit sûrement avaler dix cafés chaque matin!

Je redescends les marches en lisant ce

qui est écrit sur la feuille. Au milieu du même plan, le message est très simple :

LE CLUB DES CHERCHEURS D'OR
RENDEZ-VOUS REPORTÉ
MÊME ENDROIT
MARDI À MIDI

Betterave marinée ! Où vais-je mettre ce message ? Qu'est-ce que le Club des chercheurs d'or ? Le cow-boy me parlait-il de Boris, le concierge de l'école ? Pourquoi Bzzz-Bzzz ? Est-ce que Clément a menti, ce matin, lorsqu'il a prétendu que la feuille ne lui appartenait pas ?

Je vais aller raconter mon expédition à Octave. Quelques coups de pédale sur mon vieux-vélo-aux-vitesses-détraquées et me voilà rendu à la maison de mon ami. Depuis que nous sommes nés, nous habitons l'un à côté de chez l'autre. En jouant tous les jours ensemble, nous sommes devenus inséparables.

Je relate ma rencontre avec le cow-boy en n'oubliant aucun détail. Mais Octave semble impatient de prendre la parole.

— En sortant de l'école, j'ai entendu quelque chose de très intéressant, dit-il, les yeux tout écarquillés.

— Quoi ?

— Deux filles de troisième année riaient aux éclats en répétant : *Mère-grand, que vous avez de grandes dents !*

— Ah… Comme dans *Le Petit Chaperon rouge* !

— Oui ! C'est sûrement un indice, Hugo. Celui que monsieur Bélanger nous a donné était un passage de *Blanche-Neige et les Sept Nains.* Et maintenant, c'est une phrase tirée d'un autre conte. Ça ne peut pas être juste un hasard. Quand j'ai entendu ça, j'ai pensé aux dents du cow-boy. T'as remarqué comme elles sont longues ?

— Bravo, Octave ! Tu sais quoi ? Demain midi, j'interrogerai le cow-boy.

— Demain midi ?

— Ben oui ! Je ne manquerais pour rien au monde le prochain rendez-vous du Club des chercheurs d'or !

Mon ami pousse un soupir.

Je rentre chez moi et attends impatiemment le lendemain.

4

UN CLUB BIZZZZARRE

J'arrive quelques minutes plus tôt à l'école afin d'aller porter le message du cow-boy là où je crois qu'il va : dans le bureau de Boris. Je glisse la feuille sous sa porte. Le concierge a un bureau si petit qu'on dirait une armoire à balais !

J'espère que je ne me trompe pas. En tout cas, aucun autre endroit ne me vient à l'esprit et je ne connais pas d'autre Boris.

À la récréation du matin, tous les élèves assistent à une séance de lance-flammes dans la cour. Le cracheur de feu boit un liquide et pschitt ! il y met le feu ! Une immense flamme s'élance dans les airs.

Lorsqu'elle s'éteint, il nous explique que c'est l'huile qu'il a mise dans sa bouche qui brûle ainsi. Ouache ! Chose certaine, je ne choisirai jamais ça comme métier.

Au retour, Octave et moi, nous croisons le concierge dans le corridor. Sans me prévenir, mon ami se met à bourdonner.

— BZZZ ! BZZZ !

Je n'en reviens pas ! Une vraie abeille ! Boris, ne sachant trop qui s'est transformé en maringouin supersonique, me dévisage avec étonnement. Évidemment, entre Octave et moi, c'est toujours moi qui suis accusé en premier. Le concierge continue son chemin sans nous adresser la parole.

— Qu'est-ce qui te prend, Octave ?

— C'était pour rire… Mais, à vrai dire, cette histoire de Club m'intrigue. Si la feuille trouvée dans la photocopieuse avait rapport à la chasse, le cow-boy t'aurait sûrement donné le deuxième indice !

— Je l'obtiendrai peut-être ce midi en lui parlant de ses dents !

Octave hausse les épaules.

Toute la matinée, je ne pense qu'à ce club secret. À 11 heures et demie, je mange rapidement mon sandwich dans la grande salle en essayant de capter les conversations autour de moi. J'entends un élève de deuxième année demander à son amie : « T'as trouvé le marquis de Carabas ? » Zut ! Je ne comprends pas sa réponse. Est-ce qu'ils parlent de la chasse au trésor ? Carabas… Carabas ? Ce n'est pas un personnage du *Petit Chaperon rouge* ni de *Blanche-Neige*, en tout cas.

Octave est parti à la recherche d'autres indices. Comme il doute que je sois sur la bonne piste, il a décidé d'aller inspecter les miroirs pour trouver *Mère-grand, que vous avez de grandes dents !*

Je profite du début d'un tournoi de ping-pong pour m'éclipser. À midi, je me retrouve devant la porte du grenier. Je n'ai même pas besoin de frapper. Le bruit de mes pas dans l'escalier a dû alerter le cow-boy.

— Entre, mon garçon ! Tu es le premier arrivé. Bang ! Bang !

Il me désigne une chaise pour que je m'assoie. Je parcours la pièce des yeux, curieux de découvrir ce fameux grenier. Il date d'une autre époque, on dirait. Et le ménage n'a sûrement pas été une préoccupation depuis longtemps ! La taille des toiles d'araignées le prouve ! Le plafond est bas et les murs sont percés de plusieurs lucarnes. Mais, derrière ces fenêtres, tout est bouché, comme si on avait construit un autre mur autour du grenier. Cette grande pièce est presque vide à part des caisses de bois empilées dans un coin et quelques meubles. Au centre, je suis assis sur l'une des cinq chaises disposées en cercle.

Quelques minutes plus tard, c'est le cracheur de feu qui entre en compagnie d'un… chat et d'un perroquet ! Il installe le chat sur une chaise et l'oiseau sur le dossier. Puis il prend place à côté d'eux.

Les animaux sont aussi décorés que leur maître. Plusieurs petites chaînes dorées et parées de diamants leur entourent le cou. Le chat en a même aux pattes.

L'homme sourit et m'informe d'une grosse voix :

— Je m'appelle Titan. Titan-Ting-Ting, cracheur de feu de métier. Voici Maki-le-perroquet-savant et Jojo-le-chat-muet.

— Euh… je m'appelle Huko… euh… Hujo… euh, pardon… Hugo.

— Enchanté ! dit-il en me donnant une chaleureuse poignée de main.

Selon le nombre de chaises, il ne manque qu'un invité.

Toc ! Toc ! Toc !

Le cow-boy ouvre de nouveau la porte en s'exclamant :

— Houppi-laï-daï-daï ! Nous t'attendions.

C'est Boris ! Ma présence ici ne semble pas le surprendre. Il se contente de s'asseoir à côté de moi.

— Je ne savais pas que tu faisais partie du Club des chercheurs d'or, toi aussi. Tout s'explique, déclare-t-il.

— Tout s'explique ?

— Mais oui. Le Bzzz ! Bzzz ! dans le corridor…

— Ah oui… tout s'explique…

Me voilà dans de beaux draps ! J'assiste à une réunion ultrasecrète d'un club dont je n'ai jamais entendu parler avec des amuseurs de carnaval, un chat et un perroquet déguisés en sapins de Noël. De plus, le concierge de l'école est mêlé à cette bizarrerie. Et je ne sais toujours pas pourquoi le message parle d'un VRAI trésor.

— Bienvenue, chers membres du Club des chercheurs d'or ! proclame le cow-boy. Je suis heureux de vous présenter un nouveau chercheur : le brave Hugo.

Il se penche vers moi et dit :

— Tu peux m'appeler Lasso-Bang-Bang.

Je trouve que son nom lui va très bien.

Bang-Bang, c'est parfait, car il dégaine souvent ses pistolets. Et, quand il parle plus vite que son ombre, il se tortille comme un lasso lancé en l'air.

— Passons aux choses sérieuses, dit Lasso. Nous devons redoubler d'efforts afin de découvrir le VRAI trésor.

Je ne peux m'empêcher de m'exclamer :

— Le VRAI trésor !

— Oui, oui ! Si on interprète bien les indices, ils nous mèneront à un VRAI trésor, un coffre rempli d'or. Pas juste deux clés pour deux petits vélos.

J'ai envie de dire que je ne les trouve pas si petits que ça, les vélos.

— Mais qui vous a parlé d'un VRAI trésor ?

— Euh… le patron du Club.

— Et c'est qui, le patron ? Il est ici ?

Mes questions semblent exaspérer Lasso. Il soupire tellement qu'on dirait que de la fumée lui sort par le nez ! Il répond brusquement :

— Bout de saucisson ! Le patron ne vient jamais ici. Il reste dans son château.

Sans attendre de réplique de ma part, il enchaîne très vite :

— Alors, avez-vous trouvé de nouveaux indices pour mettre la main sur le trésor ?

Boris se lève.

— Je suis allé fouiller à la bibliothèque. Je n'y ai trouvé ni indice ni trésor.

Titan l'imite.

— J'ai inspecté toutes les toilettes à la recherche d'une piste. Mais je n'ai vu que de vieux graffitis à moitié effacés.

Comme pour appuyer son maître, le perroquet exécute quelques battements d'ailes en répétant : « Graffitis ! Graffitis ! Graffitis ! »

Bon, c'est sûrement à mon tour de prendre la parole. Je vais enfin pouvoir résoudre l'indice. Je lance très fort :

— LASSO, QUE VOUS AVEZ DE GRANDES DENTS !

Je crois que j'ai effarouché le chat et le perroquet ! Jojo saute sur les genoux de son maître et Maki va se jucher sur son épaule. Le cow-boy réagit fortement, lui aussi.

— Cretons de veau ! Je ne les ai pas choisies, mes dents !

— Euh… mais… euh… je voulais savoir…

Lasso coupe court à mon interrogation en reprenant la parole :

— Je conclurai en disant qu'il nous faut continuer nos recherches !

Avant que j'aie pu placer un mot de plus, tous se lèvent et répètent en chœur : Bzzz ! Bzzz ! Ting ! Ting ! Bang ! Bang ! Puis, la tête penchée, le perroquet m'envoie un terrible GRAFFFFITIIIIS ! Je bondis en arrière. Titan rit à pleines dents. Je ne me fais pas prier pour quitter le grenier.

Je m'en veux de ne pas avoir posé plus de questions. En fait, je n'ai pas appris grand-chose à cette réunion.

Un coup d'œil à ma montre : midi et demi ! J'ai le temps d'aller retrouver Octave dans la cour d'école.

5

LE CHÂTEAU DU PATRON

— Ne parle pas trop vite, tu me perds ! dit Octave.

— O.K. Je recommence. Il y avait Boris-Bzzz-Bzzz, Lasso-le-cow-boy-Bang-Bang, Titan-Ting-Ting, Maki et Jojo. Le Club des chercheurs d'or, c'est eux. Si j'ai bien compris, les membres du Club sont à la recherche d'un VRAI trésor. Je ne sais pas de quoi il a l'air, ce trésor, mais il a sûrement une grande valeur. Car il est rempli d'or, Octave ! Tu te rends compte ? De l'or !

— Attention, Hugo. Ça ressemble à une fausse piste !

— Mais non ! Je crois plutôt que c'est une autre chasse, une chasse pour un VRAI trésor ! Tu comprends notre chance ? C'est bien plus amusant de chercher un vrai trésor qu'un faux coffre qui ne contient que des clés. Tu sais ce que je pense ?

— Quoi ?

— Le Club des chercheurs d'or est dirigé par nul autre que Clément. Ou peut-être même par le directeur de l'école. Et je suis sûr que Clément a commis une grave erreur en oubliant la feuille sous le couvercle de la photocopieuse. Je n'étais pas censé la voir. Mais maintenant, il est trop tard, car ils devront partager le VRAI trésor avec une personne… euh… deux personnes de plus : toi et moi, Octave !

Mon ami me dévisage comme si j'étais une marmotte qui sort de son trou au printemps.

— En tout cas, finit-il par dire, moi, j'aimerais bien gagner les vélos. Le mien est tellement usé !

Je hausse les épaules. Octave ne comprend pas qu'avec de l'or il pourra s'acheter mille vélos !

Je viens de me rendre compte que Lasso et Titan ont regagné la cour, eux aussi. Un groupe d'enfants les entoure. Chacun veut toucher aux clous du lit très spécial du cracheur de feu. De longs clous de dix centimètres ! Il est décidément très masochiste, cet homme-là !

— Octave, connais-tu le marquis de Rabasca ? J'ai entendu un élève de deuxième année en parler ce midi.

— C'est peut-être un autre indice !

— Oui, mais ça mène à quoi ou à qui ?

— Le seul marquis qui me vient en tête, c'est le marquis de Carabas dans *Le Chat botté*.

— C'est ça, Octave ! Carabas ! Je m'étais trompé.

— Dans cette histoire, le marquis de Carabas est le maître du Chat botté.

— Betterave marinée ! Écoute bien : Le cracheur de feu a un chat, il porte des bottes et son perroquet s'appelle Maki. Ça ressemble à marquis, non ?

Je suis fier de ma trouvaille. Il faudra que j'interroge Titan. Mais, pour l'instant, la prochaine étape est de découvrir où se trouve le château du patron. Je suis sûr que cet homme pourra me donner plus d'information que le cow-boy ! Mais je doute de pouvoir trouver l'adresse d'un château dans les pages jaunes, encore moins celle du Club des chercheurs d'or !

Je connais une personne qui pourra peut-être m'aider : la bibliothécaire. Elle sait tout et réussit toujours à trouver un livre sur le sujet qui nous intéresse. Il me reste quelques minutes avant le retour en classe pour aller lui parler. Quand j'entre dans la bibliothèque, madame Galilée m'accueille en souriant.

— Bonjour, Hugo. Tu viens chercher un livre de référence ou un bon roman ?

— Un livre de référence. J'entreprends une recherche sur les châteaux.

— Tiens ! Bonne idée en période de chasse au trésor ! Mais c'est vaste comme sujet. Tu t'intéresses à l'histoire ? À l'architecture ? À un pays en particulier ? Regarde, j'ai justement reçu un livre sur les différents modèles de tours.

— Ah oui ? Il est très beau ! Je crois que je vais l'emprunter. Est-ce que vous connaissez ça, les châteaux ?

— Un peu, comme tout le reste, à force de bouquiner…

— Et… est-ce qu'il y en a ici ?

— Tu veux dire, au Québec ?

— Euh… plutôt dans notre ville.

— Hé bien, je connais le château Ramezay, qui fut la résidence du gouverneur au dix-huitième siècle, le château Dufresne, construit en 1916, et tu seras surpris d'apprendre qu'il y en a un tout près de notre école.

— AH OUI ?

Pas croyable ! C'est peut-être le château du patron !

— Oui, Hugo. En 1795, sir Mazipen Zanlepif, un armateur irlandais, a fait ériger un magnifique château…

DRIIIIIIIIIIING !

Oh non ! La cloche indique le début des cours.

— Tu dois retourner en classe, me signale madame Galilée. Je continuerai cette histoire une autre fois.

— NON ! Euh… non, dis-je plus doucement. Racontez-moi le reste tout de suite, s'il vous plaît.

La bibliothécaire secoue la tête.

— Hugo, il faut vraiment que tu retournes en classe maintenant.

J'ai les mains jointes et je la supplie comme si ma vie était en jeu.

— Dites-moi juste où il est situé, ce château !

— Hé bien, quelque part près du parc Raimbault. Une grille en fer forgé noir est dissimulée par une rangée de peupliers. Je sais que le château a été acheté, il y a quelques années, par un homme qui n'en sort presque jamais.

Après avoir remercié madame Galilée, je bondis comme un kangourou jusqu'à la classe. J'espère que le château de Zipenlair Zogropif est bien celui qui m'intéresse. Je dois endurer tout un après-midi de grammaire et de mathématiques avant d'aller le découvrir. Que c'est pénible, l'école, quand on a des choses plus importantes à faire !

6

S.T.O.P.

— Octave, veux-tu venir avec moi au château de Machin-zizi-tout-un-pif?

— Écoute, Hugo, cette fois-ci, je n'ai vraiment pas le goût d'être mêlé à tes histoires.

— Je ne te demande pas d'être mêlé à quoi que ce soit, je t'invite seulement à faire du vélo avec moi.

— Ouais, tu dis ça, mais je te connais. Une fois qu'on sera là-bas, tu vas me demander de t'aider à sauter la clôture. Ou tu vas vouloir que je t'accompagne pour te donner du courage.

— Tu sauras, Octave Dansereau-Thibodeau, que je n'ai pas besoin de toi, pour le courage. J'en ai cent fois plus que toi.

— Alors vas-y tout seul. Moi, je vais à la recherche du marquis de Carabas ou d'une grand-mère aux grandes dents.

Comme il dévale l'escalier sans m'attendre, je lui lance :

— Hé, Octave, je peux compter sur toi, comme hier ? On s'entend pour dire qu'on continue notre travail d'équipe ?

Mon ami me regarde sans rien dire, l'air hésitant. Il finit par accepter.

— Ben oui !

Fiou ! Ça m'encourage tout de même qu'Octave ne me laisse pas tomber.

En allant récupérer mon vélo, je rencontre Titan en train de ramasser son matériel dans la cour. Voilà le bon moment pour l'interroger.

— C'est vous, le marquis de Tarabas ?

— De quoi parles-tu ? dit-il d'un air étonné.

— Du *Chat botté.*

— Je ne suis pas un chat, voyons !

— Oui ! Euh… non. Je parle de l'histoire… de l'indice… enfin, je pense que c'est un indice.

— Ah, oui ! Le marquis de CA-rabas ! Hé bien, dans cette célèbre histoire, le Chat botté trouve un château pour son maître, le château de l'ogre !

Je n'ai pas le temps de réagir que Titan est assailli par trois autres enfants. Je mets le cap vers le parc Raimbault en me répétant ses paroles : « Le château de l'ogre ! » Betterave marinée ! Pas très rassurant, cet indice.

Arrivé au parc, je cherche la longue rangée de peupliers. Après avoir sillonné les rues avoisinantes, je repère finalement les arbres. Ils sont très rapprochés les uns des autres. Entre les troncs, une clôture en fin grillage empêche quiconque de passer. Hum… Si un ogre demeure là, il garde bien ses victimes ! Environ cinq cents mètres plus loin, j'aperçois un mur de brique et… la grille d'entrée ! Je ne vois pas le château, mais il doit être camouflé par le bois. Comment pénétrer à l'intérieur ? Réveille, Hugo ! Comme partout ailleurs : en appuyant sur la sonnette !

Ding-dong, ding-dong, ding-dong, ding-dong…

Une musique accompagne la série de ding-dong. Dans l'interphone, une voix aussi chantante que la sonnerie retentit :

— Ouiiiii ?

— Euh… je suis… euh… Hu… euh… Hugo.

— C'est pououououorrr ?

— Je voudrais rencontrer le patron.

Un clic résonne, comme si on avait raccroché. Quelques secondes plus tard, un second clic me fait sursauter et la même voix chante :

— Enenentreeee !

La grille s'ouvre en grinçant. J'ai à peine le temps de franchir l'entrée qu'elle se referme derrière moi. Schlack !

J'emprunte un chemin sinueux. Après quelques tournants, l'incroyable, l'invraisemblable, l'ahurissant château se dresse devant moi. Dire que je demeure tout près d'un si beau château et que je ne m'en doutais même pas. Sa façade est en pierres grises et du lierre court le long des murs. Chaque extrémité est parée d'une tour.

La porte principale, en bois foncé, est très haute. À sa droite, les lettres S.T.O.P. sont gravées sur une plaque en or. Est-ce que ça veut dire que l'on doit s'arrêter? Non! Sur une autre plaque vissée juste en dessous, je lis: *Société des trésors d'or perdus.* Betterave marinée! C'est sûrement le château du patron!

Je saisis le heurtoir en forme de tête de lion et frappe trois coups. Une minuscule fenêtre à gauche du heurtoir s'ouvre subitement.

— Ouiiiii?

— Euh... j'aimerais parler au patron.

Monsieur Ouiiiii referme bruyamment la petite fenêtre. Des bruits de chaînes et de loquets m'indiquent qu'il est en train d'ouvrir la porte.

— C'est vous, le patron ?

— Nooooon. Je me nommmme Catapulte. Je suis le gardien de ce château.

Comme il n'ajoute rien d'autre, je répète ma demande.

— J'aimerais parler au patron.

— Monsieur Boudine, sans doute ?

— Poutine ?

— Je ne parle pas du nez, jeune homme. J'ai bien dit monsieur Boudine, Bidule Boudine, le grand patron de la S.T.O.P.

— Oui, oui, c'est sûrement lui… euh… c'est bien lui.

— Alors, attends dans cette salle.

Le gardien me fait signe d'entrer et me désigne trois fauteuils en cuir brun. Ce sont les seuls meubles d'une grande salle d'attente. Sans rien dire de plus, il quitte la pièce.

Je suis discrètement Catapulte afin de découvrir les lieux. Je ne peux aller très loin : trois couloirs interminables sont plongés dans l'obscurité. Ce château est un vrai labyrinthe ! Comme je ne vois pas d'interrupteur, je retourne dans l'entrée. De chaque côté de la salle, de nombreuses portes capitonnées m'intriguent. J'essaie de les ouvrir, mais elles sont verrouillées. Qu'est-ce qui se trouve derrière ces portes ? D'autres corridors ?

Après de longues minutes d'attente, le patron arrive enfin. Fiou ! il n'a pas l'air d'un ogre ! Il est petit, très maigre et il a le dos voûté. Ses vêtements noirs sont trop grands pour lui. Ça me fait penser à la fois où ma mère m'avait acheté un costume d'Halloween pour adulte. Les côtes du squelette m'arrivaient aux genoux !

Monsieur Boudine porte de nombreux bijoux en or : des chaînes au cou, des bracelets et une bague à chaque doigt ! Quand il me serre la main, je sens le métal froid.

— Bidule Boudine, à votre service.

— Bonjour, monsieur Boudine. Je m'appelle Hugo et je vais à l'école Champagneur. J'aimerais vous parler du Club des chercheurs d'or.

— Euh… tu veux dire : la Société des trésors d'or perdus.

— Hé bien, à l'école, on l'appelle : le Club des chercheurs d'or.

— Ah bon. Allons à mon bureau.

Nous parcourons de longs couloirs. Comme seul éclairage, monsieur Boudine tient un candélabre à six bougies. J'ai beau ne pas être peureux, ça me glace le sang !

— Il fait noir, ici !

— Cette partie du château n'est pas branchée sur le réseau électrique. Moi, j'adore. J'ai l'impression de vivre à une autre époque.

Finalement, nous entrons dans une pièce illuminée, elle aussi, par des bougies. Bidule Boudine me fait signe de prendre place dans un fauteuil.

— Bon, que désires-tu savoir, Hugo ?

— J'aimerais que vous me donniez un indice pour m'aider à trouver le vrai trésor.

— De quel trésor parles-tu ?

— Bien… il y a une chasse au trésor à l'école, mais moi je cherche le VRAI trésor !

— Alors, tu es un vrai chercheur d'or, si je comprends bien.

— Oui, je fais partie du club… avec le cow-boy, Titan, Boris, Jojo et le perroquet.

— C'est charmant, tout ça. Que d'imagination ! Mais d'où vous vient l'idée d'un vrai trésor ?

— Mais de vous, euh… enfin… je crois.

— Ah oui ? Hé bien… ce ne peut être que… voilà : J'ai publié les résultats de mes recherches dans le journal mensuel de la S.T.O.P. Une de mes conclusions était que le trésor de Mazipen Zanlepif a été égaré en 1812. L'analyse des archives me porte à croire que le trésor, encore aujourd'hui, ne doit pas se trouver bien loin du château.

C'est peut-être cet article qui vous a mis sur la piste ?

— Euh… oui, sûrement !

Je n'ai pas saisi tout ce que le patron vient de me raconter.

— Alors, désolé, Hugo, mais je ne crois pas être en mesure de t'aider. Mes recherches avancent à pas de tortue en ce moment. Vous devrez travailler aussi fort que moi si vous voulez trouver le trésor ! De mon côté, je consulterai des archives plus récentes. Je n'ai qu'un conseil à te donner : La patience est un trésor qu'il faut découvrir en soi !

Bidule Boudine vient me reconduire à la porte. Avant de partir, je pense à un détail.

— À quoi il ressemble, le trésor de Danlepif ?

— Zanlepif, mon garçon ! Selon ce que je sais des coffres de cette époque, je dirais que c'est une boîte en bois au couvercle bombé, de quelque cent centimètres de largeur. Le fermoir et la garniture de métal doivent être rouillés depuis ce temps.

Après avoir remercié monsieur Boudine, je refais le chemin en sens inverse. La grille s'ouvre automatiquement devant moi. J'arrive à la maison à temps pour le souper. J'ai hâte d'être à demain pour rapporter ma visite aux autres chercheurs d'or !

7

DURE JOURNÉE POUR UN CHERCHEUR D'OR

Mercredi matin, avant le début des classes, je descends les marches deux par deux jusqu'à la grande salle. J'espère que les chercheurs d'or y seront. J'arrive face à face avec Lasso.

— Soupe à la volaille ! Vaillant garçon ! Que t'arrive-t-il ? Tu es bien essoufflé !

— Oui, j'ai une bonne nouvelle ! J'ai rencontré le patron.

Le cow-boy s'étouffe. On dirait qu'il a avalé sa salive de travers.

— Le pa... pa.... patron ?

— Oui, oui ! Dans son château !

— Dans son châ… châ… château ?

Betterave marinée ! Il n'est pas réveillé, ce matin ! Il manquait de café !

— Écoutez, je n'ai pas beaucoup de temps. J'ai parlé à Bidule Boudine. Je suis au courant pour ses recherches et je sais à quoi ressemble le trésor. Je voulais juste vous dire ça. C'est excitant !

La cloche vient de sonner. Je dois vite monter en classe. J'espère que ma grande nouvelle réveillera le cow-boy !

Pendant le cours de français, il faut rédiger un texte dont le sujet est : *Ce que je préfère pendant la semaine de carnaval.* Je ne peux pas écrire la vérité ! Je ne peux pas révéler que je suis devenu un véritable chercheur d'or ! Que j'ai découvert ce que personne d'autre ne sait dans cette école… enfin… presque personne.

Lorsque nous allons dîner, je fais signe à Octave de m'attendre. Dans l'escalier, je lui raconte ma visite au château. Il me chuchote à l'oreille :

— Moi aussi, j'ai du nouveau.

Octave a les yeux qui brillent lorsqu'il ajoute :

— J'ai un autre indice !

Devant mon air surpris, il précise :

— L'indice pour les vélos !

— Hein ? Comment tu l'as trouvé ?

— En fait, je ne l'ai pas trouvé, je l'ai entendu. Je suivais Fanny Lacombe et son ami, sans qu'ils me voient, évidemment. Fanny s'est arrêtée et a dit : « Maintenant qu'on est loin de l'école, je vais te révéler le quatrième indice. » Alors, elle a fait comme ça.

Octave mime les gestes de Fanny. Il met sa main au-dessus de ses yeux et lance :

— *Anne, ma sœur Anne, ne vois-tu rien venir ?*

— T'es sûr qu'elle a dit ça ?

— Oui, oui, Hugo. Puis elle a ajouté : « C'est comme dans *Barbe-Bleue.* »

Je réfléchis quelques secondes. Je me

souviens de l'histoire de Barbe-Bleue dans mon livre des contes de Perrault.

— Ça me revient, Octave! Quand la femme de Barbe-Bleue pose cette question à sa sœur, elles sont dans la tour du château. Ça veut dire que j'étais sur la bonne piste en allant au château!

Mon ami sautille d'excitation.

— C'est pas tout, Hugo! Pense aux initiales de Barbe-Bleue: B. B., comme celles de Bidule Boudine!

— Oui, mais... Je ne comprends plus rien. On est sur la bonne piste pour les vélos ou pour le VRAI trésor? Parce que, si Fanny a un indice qui mène au château, ça veut dire qu'elle est sur la piste du trésor d'or, comme nous.

— T'as raison, Hugo. Il y a quelque chose qui cloche.

En descendant quelques marches, nous faisons fonctionner nos méninges au maximum. Tout à coup, Octave s'exclame:

— J'ai trouvé ! Un indice pour la chasse au trésor du carnaval ne peut pas mener à un endroit éloigné de l'école. Monsieur Bélanger a bien dit que ça se passait à l'intérieur. Fanny a mis la main sur un indice du Club des chercheurs d'or ! Il y a donc vraiment une autre chasse ! Et toi, tu avais devancé l'indice. Tu avais deviné qu'il fallait aller au château rencontrer Bidule.

— Oui, c'est ça, Octave ! Sais-tu que, pour quelqu'un qui ne voulait pas être mêlé à mes histoires, t'es pas mal zélé !

Octave rougit.

— Est-ce que Bidule t'a donné un nouvel indice ? demande-t-il.

— Bien… euh… il a parlé d'archives, de journal… Ah oui ! il a dit : « La patience est un trésor qu'il faut découvrir en soi. »

— Hum… T'as déjà entendu ça dans un conte, toi ?

— Je ne me rappelle plus.

Nous nous rendons à la grande salle où Lasso et Titan invitent les élèves à participer à des jeux. Je m'approche du cow-boy et lui souffle à l'oreille :

— Avez-vous annoncé la nouvelle aux autres ?

— Cornichon salé ! Bien sûr !

— J'ai trouvé autre chose...

— Chut ! Chut ! N'attire pas l'attention ! Éloigne-toi de moi.

Bon, il faudra que je prenne un rendez-vous !

En revenant du dîner, je passe à côté du local de Boris. Je jette un coup d'œil rapide par la porte entrouverte. Le concierge n'est pas là, mais mon regard est attiré par une feuille que je reconnais. Je m'arrête, regarde autour de moi pour m'assurer que personne ne me suit, puis je m'approche du bureau de Boris. C'est bien le plan de l'école qui a servi pour les messages. Cette fois-ci, il y est écrit :

LE CLUB DES CHERCHEURS D'OR
RÉUNION URGENTE
À LA SALLE DES PROFS
MERCREDI À 2 HEURES

Betterave marinée ! Je n'étais pas au courant ! Pourquoi on ne m'a pas prévenu ? Je n'ai pas le temps d'aller vérifier maintenant ce qui se passe. Mais je vais trouver un prétexte pour sortir de la classe à l'heure du rendez-vous ! Je vais devoir être prudent, car la salle des profs est à côté du bureau du directeur.

À 2 heures moins cinq, je demande à Michel la permission d'aller aux toilettes.

— J'espère que ça ira plus vite que d'aller faire une photocopie ! blague-t-il.

Sitôt sorti, je vais me cacher pour épier les allées et venues dans le corridor. Je vois le cow-boy, Boris et Titan arriver tour à tour à la salle des profs. J'enlève mes chaussures et je m'approche très, très doucement de la porte. Je retiens ma respiration pour être sûr qu'on ne décèlera pas ma présence. Ce que j'entends m'époustoufle !

— Le petit est allé au château de la S.T.O.P. hier, dit Boris.

— Je le sais, répond le cow-boy. Il est venu m'annoncer ça, ce matin. Son intrépidité m'étonne !

Le petit ? Est-ce qu'ils parlent de moi ? Je ne fréquente plus la maternelle, quand même !

— Mon ami Catapulte est gardien au château, poursuit Boris. Il a écouté à la porte du bureau de son patron lorsque le petit était là.

On dirait qu'il a peur de prononcer mon nom !

— Dans la soirée, il a fouillé le bureau et a trouvé un dossier étiqueté *Le trésor de Zanlepif.* Il a découvert que Bidule Boudine avait reçu des documents afin de poursuivre ses recherches. Tenez-vous bien ! Selon Catapulte, le trésor se trouverait ici, dans l'école.

Cette annonce suscite des exclamations.

— Qu'est-ce qu'on fait maintenant? demande Titan.

— D'abord, il faut éloigner le petit.

QUOI! C'est moi qui leur ai donné l'information et ils veulent m'éliminer!

— Bonne idée, approuve le cow-boy. Mais comment on va faire?

— J'y ai déjà pensé. Le mieux est de lui dire la vérité. Enfin... une partie de la vérité. Ensuite, nous pourrons agir seuls.

— Il faut faire vite avant qu'il ne se mêle davantage de nos affaires, ordonne Lasso.

— T'as raison. Je vais attraper ce petit curieux à la sortie de l'école. Pour la suite, retrouvons-nous au grenier demain matin à 8 heures.

— O.K., Boris.

Je me transforme en sauterelle qui déguerpit au plus vite d'une zone dangereuse! Les planchers bien cirés me servent de patinoire. Lorsque je rentre dans la classe, Michel me lance:

— Tiens, les chaussures sont interdites dans les toilettes, maintenant!

Je viens de me rendre compte que je les tiens encore dans mes mains. Tous les élèves éclatent de rire. Je me sens un peu ridicule.

Après la classe, je me rends à ma case. Boris se dirige vers moi, vadrouille à la main.

— Hugo, je veux te parler.

— Ah oui? je fais, comme si j'étais vraiment surpris.

— Tu sais… euh… au sujet de la chasse au trésor organisée pour le carnaval…

— Moi, je préfère la chasse du Club des chercheurs d'or! Nous cherchons le VRAI trésor, hein, Boris?

— Euh… c'est-à-dire… vois-tu, il n'y a pas de VRAI trésor. C'était une fausse piste inventée par les organisateurs de la chasse. Le rôle du Club était d'y lancer des élèves. Mais maintenant, cela doit cesser.

Titan, Lasso et moi, on trouve qu'on t'a suffisamment trompé.

— Pourtant, j'ai vu Bidule Boudine en chair et en os ! Vous n'avez quand même pas construit un faux château ?

— Euh… le patron de la S.T.O.P. était complice de cette plaisanterie. Il n'a jamais été question d'un vrai trésor dans cette école. Alors, reprends le premier indice et essaie de trouver la bonne solution, cette fois-ci ! Bonne chance !

Boris tourne les talons et se remet à nettoyer le corridor en sifflant. S'il croit que je vais me laisser faire ainsi !

8

LES CHERCHEURS À L'ŒUVRE

De retour chez moi, j'appelle Octave.

— Je t'avais bien dit de faire attention, me rappelle-t-il.

— Tu te penses super *bollé*, hein ?

— Ben non, mais je réfléchis avant d'agir, moi !

Betterave marinée ! Comme si mon cerveau était en mode veille !

— En tout cas, je vais continuer à chercher le VRAI trésor, même si le Club essaie de m'en écarter.

À l'autre bout de la ligne, pas de réaction.

— Euh… Octave, je vais avoir besoin

de toi plus que jamais. Peux-tu m'aider juste un p'tit, p'tit, p'tit peu ?

— …

— Allez, Octave !

— Euh… peut-être.

Quand mon ami dit « peut-être », c'est que j'ai réussi à le convaincre.

— Hé bien, c'est demain soir qu'il faut agir.

— Hein ? Quoi ? Qu'est-ce qui va se passer demain soir ?

— Nous irons passer la nuit à l'école pour découvrir le VRAI trésor. Parce que, dans la journée, on ne peut pas faire une vraie fouille. On se ferait remarquer tout de suite.

— T'appelles ça « un p'tit, p'tit, p'tit peu » ? T'as oublié qu'on a des parents et qu'on est censés dormir dans la même maison qu'eux !

— Je n'ai pas oublié, tu sais bien. On va dire qu'on dort à l'école, comme l'an dernier quand le prof avait organisé une nuit de camping dans le gymnase.

— Tes parents sont peut-être poissons, Hugo, mais pas les miens !

— J'ai pensé à tout ! Je prépare un faux avis de l'école à l'ordinateur. J'écris qu'une nuit de camping aura lieu à l'école demain soir et j'indique la liste des choses à apporter : pyjama, pantoufles, lampe de poche, brosse à dents, vêtements pour le lendemain. Je t'apporte la feuille dès que j'aurai fini. Tu la remets à tes parents et le tour est joué !

— J'aime pas ça, Hugo, dit Octave en serrant les dents. On va se faire prendre.

— Jamais de la vie ! Étant donné que nous aurons tous les deux la même feuille, les parents ne se poseront pas de questions.

Je prépare la note, véritable passeport pour notre soirée de chercheurs d'or, et je cours en porter une copie à Octave. Un peu plus tard, je sors cet avis de mon sac d'écolier devant ma mère. Elle croit à l'histoire de la nuit à l'école sans sourciller !

Par la suite, tout se passe bien. La mère d'Octave appelle mes parents, tout énervée, pour savoir s'il y a bien une activité à l'école dans la nuit de jeudi. Mes parents répondent : « Oui, oui, nous avons reçu toute l'information. » Leur ton affirmatif la rassure.

Jeudi matin, nous partons pour l'école avec notre sac à dos et un sac de couchage que nous dissimulons dans le fond de notre case. Avant d'aller en classe, je décide d'aller espionner au deuxième étage. En arrivant sur le palier, je vois Clément sortir du grenier à reculons, avec beaucoup de précaution, comme moi hier après-midi quand je voulais passer inaperçu. J'aimerais bien lui parler du Club, lui dire que ce n'était pas très gentil de m'envoyer sur une fausse piste, mais il quitte les lieux si vite que je ne peux l'aborder.

J'attends quelques minutes, puis je retourne au premier étage. En passant devant le bureau du directeur, j'entends des exclamations. Je tends l'oreille par la porte entrouverte.

— Y aurait-il des fantômes dans cette école ? demande monsieur Bélanger.

Je reconnais la voix de Clément qui lui répond :

— Avec ce que j'ai découvert ce matin, je me dis que tout est possible. Mais je crois qu'il s'agit plutôt d'individus louches. Ne vous inquiétez pas, je m'en occupe. Mon ancien métier me servira peut-être...

— Soyez prudent, Clément. Si nous avons affaire à des malfaiteurs...

— Ne craignez rien. Si on en vient au pire, je sais quoi faire.

— Je ne veux pas d'arme dans mon école ! proteste monsieur Bélanger.

— Non, non. Je ne pensais pas à ça. De toute façon, je n'en garde plus chez moi.

Betterave marinée ! Très intrigant tout ça ! Qui seraient les malfaiteurs ? Le cow-boy ? Boris ? Quel est l'ancien métier de Clément ? Il ne fait donc pas partie du Club des chercheurs d'or ! Je me demande bien ce qu'il a entendu au grenier.

Quand je raconte cette conversation à Octave, nous essayons de démêler cette histoire. Moi, je pense que Clément est un ancien bandit. Octave prétend qu'il a déjà été un champion de karaté ou d'escrime. On songe à aller voir monsieur Boudine, mais comme on ne sait pas s'il fait partie des malfaiteurs, mieux vaut ne pas prendre de risque. Poursuivons notre plan, comme prévu !

À midi, il y a une atmosphère de fête dans la grande salle. Le cow-boy montre aux élèves comment on fait tourner un pistolet dans ses mains. Titan fait un numéro avec son perroquet savant. Moi, je n'ai pas le goût de m'approcher d'eux. Je reste dans mon coin. Octave se promène dans la salle, dans l'espoir d'entendre d'autres indices au passage.

À la fin de la journée, nous jouons dans la cour de l'école. Puis nous retournons à l'intérieur un peu avant six heures.

— Par ici, Octave ! Il n'y a jamais personne qui va aux toilettes du deuxième étage.

Nous nous cachons là jusqu'à ce que l'école soit silencieuse. À sept heures, une inspection des corridors nous confirme que nous sommes seuls sur les lieux. Même le concierge est parti. Nous allons porter nos sacs dans le gymnase et nous y mangeons notre lunch en bavardant.

Maintenant, par où commencer nos recherches ? Nous optons pour le gymnase. Il faut dénicher une trappe dans le plancher ou une porte camouflant un coffre-fort. La tâche s'annonce difficile, car nous nous éclairons uniquement avec une lampe de poche. Pas question d'allumer les lumières, cela pourrait alerter des gens à l'extérieur.

Pendant notre inspection du gymnase, Octave s'immobilise et me fait signe de me taire. Il pointe la porte du doigt. Tout à coup, on entend : BANG ! Ce n'est sûrement pas un *Bang!* des pistolets de Lasso ! On dirait plutôt le bruit d'une porte qu'on a claquée. Ensuite, un faisceau de lumière traverse rapidement le corridor. Nous nous regardons, la bouche grande ouverte. Il faut réagir ! J'agrippe le bras d'Octave pour l'entraîner derrière une pile de matelas. On retient notre souffle. Comme rien ne se passe, je m'avance un peu et bredouille :

— Il y a quelqu'un ?

Aucune réponse. Je répète plus fort :

— Qui est là ?

Un silence de mort.

Octave reste figé dans la cachette. Moi, je sors du gymnase. Je vois ce qui a causé ce *Bang!* : c'est la porte du secrétariat. Je tourne la poignée et j'ouvre lentement. J'éclaire la pièce avec ma lampe de poche. Tout semble normal. Les fenêtres sont bien fermées. Le courant d'air qui a fait claquer la porte venait donc de… d'un… d'un fantôme !

— Viens, Octave, il n'y a personne. C'était un courant d'air.

Je mens un peu, mais je dois rassurer mon ami. Il est tellement peureux !

— T'es sûr ?

— Oui, oui !

En fait, je viens d'apercevoir de nouveau un rayon de lumière à l'autre bout du corridor. Mais je n'en dis rien à Octave. Je dois le distraire au plus vite, sinon je sens qu'il va prendre ses jambes à son cou ! Pour le faire rire, je mime le cow-boy en train de prononcer ses jurons favoris. C'est *Bout de saucisson* qu'Octave préfère. Plus je le répète, plus il se tord de rire.

Après avoir réussi mon numéro de clown, je propose de terminer l'inspection minutieuse du gymnase. Peine perdue !

— Il n'y a rien ici, Octave. Allons à la bibliothèque.

— Dis donc, Hugo, au lieu de questionner madame Galilée au sujet des châteaux, tu aurais dû lui demander des livres sur les trésors.

— Excellente idée ! Viens, on va faire une recherche.

Nous consultons l'index des sujets. Un titre retient notre attention : *Trésors de chez nous.* Nous le trouvons facilement sur les rayons. Zut ! Ce livre a été publié en France ! Octave le feuillette tout de même. Pendant ce temps, je décolle avec précaution les affiches du mur pour essayer de découvrir un coffre-fort.

— HUGO !

Octave brandit le livre comme s'il tenait le trésor dans ses mains.

— Quoi ?

— Écoute ça : *Afin d'éviter que leurs trésors ne soient abîmés au cours des inondations, les châtelains de l'époque préféraient dissimuler leurs avoirs précieux dans le grenier de leur château. On se contentait souvent de soulever quelques lattes du plancher et d'y glisser coffres, écrins de velours ou sacs en soie.*

— Mais je ne sais pas s'il y a un grenier dans le château de la S.T.O.P. !

— Qui te parle du château ? On devrait aller explorer le grenier de l'école !

— T'es génial, Octave ! Allons-y tout de suite !

9

SI PRÈS DU...

En quittant la bibliothèque, nous empruntons l'escalier central. La lumière des lampadaires de la rue entre par les grandes fenêtres et dessine nos ombres sur les murs. Nous avons une allure gigantesque !

À quelques pas de la porte du grenier, un rayon lumineux attire notre regard. À l'autre bout du corridor, les portes battantes semblent bouger. Je sais bien que les fantômes n'existent pas, mais je commence à trouver qu'il se passe des choses bizarres entre les murs de cette école. On n'est peut-être pas seuls ici, après tout. Boris

aurait-il eu la même idée que nous? Si c'est lui, pourquoi ne se montre-t-il pas?

— Hugo, partons d'ici! bafouille Octave, plus blanc que jamais.

— Non! Il n'y a pas de danger!

— Comment tu peux dire ça? Je pense qu'on n'est pas seuls dans l'école. C'est sûrement les malfaiteurs!

Il a peut-être raison. Mais moi, je veux trouver le trésor avant eux.

— O.K. Je vais aller voir ce qui se passe là-bas.

À l'autre bout du corridor, je pousse les portes. Personne n'est caché derrière. Tout semble tranquille dans l'escalier. Je dois avouer que mes jambes ont la tremblote. Je n'aurais pas aimé arriver face à face avec un bandit.

Je reviens vers mon ami.

— Tu vois, il n'y a personne. C'était ton imagination!

— Pffft...

— Allez, Octave. Grimpons au grenier.

— Je te préviens, monsieur-peur-de-rien : si j'entends encore un bruit ou que je voie de la lumière, je déguerpis.

Les marches de l'escalier craquent sous nos pieds. J'éclaire la poignée de la porte. Lorsque ma main la saisit, j'annonce, très déçu :

— Ah, non ! La porte est verrouillée !

Mon ami essaie, lui aussi, sans plus de succès. On se regarde, découragés.

— Octave, attends-moi ici. Je vais essayer de trouver la clé au secrétariat.

— Non, je t'accompagne !

Nous retournons en bas. Heureusement, le bureau de la secrétaire n'est pas verrouillé, lui. Dans un tiroir, je mets la main sur un gros trousseau de clés. Sur chacune, il y a une indication : *classe 1, classe 2, classe 3, biblio, gym, dir., porte av.*, etc. Aucune ne porte la mention *grenier*. Malheur !

— Comment on va s'y prendre, Octave, pour ouvrir la porte du grenier ?

— Je ne sais pas. On peut essayer avec un trombone.

— O.K. Prends le plus gros. Oh ! regarde : il y a un tournevis. Apportons-le aussi.

Pas de pseudo-fantôme en vue lorsque nous remontons. J'éclaire la poignée avec ma lampe de poche pendant qu'Octave glisse le trombone dans la serrure. Mais... mais... une chose inattendue se produit : la porte s'ouvre ! Non seulement elle est déverrouillée, mais quelqu'un l'a entrebâillée. Une petite poussée et le grenier est à nous !

— Qui a fait ça, Hugo ? balbutie Octave.

— Euh... peut-être qu'on n'avait pas bien essayé, tantôt.

— Tu sais bien qu'elle était fermée dur !

Ah, non ! Le roi des peureux va recommencer à s'énerver. Cette fois, j'invente un petit mensonge pour le calmer.

— Lorsque je suis venu au grenier, avant ce soir, la poignée était toujours difficile à tourner.

À force d'avoir à rassurer Octave, j'en oublie ma propre peur. Pour lui prouver que je suis totalement en confiance, je lui fais un grand sourire.

Nous pénétrons avec prudence dans le grenier. Tout y est immobile et silencieux. Seuls résonnent les *boum-boum, boum-boum* rapides de nos cœurs.

— Commençons par le plancher, propose Octave.

L'astuce de cacher un trésor dans le plancher du grenier ne semble pas avoir été utilisée dans cette école. Les lattes sont toutes bien clouées et aucune ne se soulève. Ce n'est probablement pas ici que nous ferons une découverte !

Il est plus de dix heures lorsque nous terminons cette étape. Je contemple le tas de caisses en bois que j'avais remarqué à ma première visite. Même si je suis fatigué, je me dis qu'il ne faut rien négliger.

— Viens m'aider, Octave. On va regarder ce qu'il y a derrière ces caisses.

Nous les déplaçons une par une. Ça sent le vieux bois humide et la moisissure. Une fois ce déménagement terminé, j'éclaire le mur.

— Hugo ! Regarde ici ! s'écrie mon ami.

Il passe la main sur une des planches du mur.

— On dirait que cette planche est plus récente que les autres.

J'observe de plus près.

— T'as raison ! Il faut l'enlever. Essayons de trouver des outils.

Nous ramassons une règle, des pinces, un cintre, et le tournevis que nous avons pris en bas. Avec nos outils de fortune, nous réussissons à dégager un peu la planche. En tirant très fort dessus, nous arrivons enfin à la faire céder.

— Betterave marinée ! T'as vu ça ?

— Wow ! Une vraie cachette !

Un deuxième mur est dissimulé derrière le premier. On distingue une partie d'un grand panneau de bois ; une boucle en grosse corde rêche y est insérée.

— Octave, ôtons d'autres planches.

— O.K. Il faut réussir à tirer sur la corde. On dirait que c'est une poignée.

Au même moment, une voix semblant sortir de nulle part me donne la chair de poule.

— O.K., les garçons, ne touchez plus à ça.

Pendant deux secondes, je pense que le fantôme de Zipen Malaupif vient de parler. Mais je reviens vite à la réalité. Des pas se rapprochent. Je me retourne et j'aperçois deux pistolets braqués sur nous. J'éclaire le visage de cette apparition : c'est nul autre que… Lasso-Bang-Bang !

— Oh ! Le cow-boy ! C'est toi qui avais ouvert la porte, tantôt ?

— Boulettes de riz ! Pourquoi faire le travail à votre place ? Je vous ai suivis depuis le début, mais je vous ai laissés vous débrouiller. De toute façon, c'est Boris qui a la clé, pas moi.

— Menteur !

— Allez, les jeunes, ne me mettez pas des bâtons dans les roues. Cessez de jouer aux chercheurs d'or et rentrez chez vous.

Octave s'apprête à écouter le cow-boy. Ce n'est pas mon intention.

— Tes faux pistolets ne me font pas peur, Lasso-Bang-Bang ! Enlève ton déguisement de cow-boy !

Je crois que j'ai visé juste. Lasso semble désarçonné, comme s'il était tombé de cheval ! Octave me tire la manche en chuchotant :

— Écoutons-le ! Décampons d'ici !

— Betterave marinée, Octave ! On a sûrement découvert la cachette du trésor. On ne va pas abandonner si près du but !

Soudain, un bruit de pas dans l'escalier

nous fait sursauter. Quelqu'un d'autre nous espionnait !

— Ça suffit, les gars. Il n'y a pas de trésor ici. Allez m'attendre en bas pendant que je m'occupe de ce cher cow-boy.

C'est Clément ! Comment a-t-il su que nous étions ici ? Est-ce que tout le Club était sur nos traces ? Quel sort Clément réserve-t-il à Lasso ?

— Mais… mais…

— Pas de discussion, Hugo. Un comité d'accueil vous attend dans le bureau de monsieur Bélanger.

Oh, non ! Je n'aime pas ça !

— Toi et tes histoires ! marmonne Octave.

10

LARMES ET EXPLICATIONS

En descendant, j'entends renifler.

— Voyons, Octave, ce n'est pas si grave.

Il bafouille à travers ses larmes :

— Pas si grave ? C'est sûr que mes parents vont être au courant. Je vais me faire tuer !

— T'exagères, Octave ! Tu imagines le pire.

Octave n'exagérait pas. Enfin... pas beaucoup.

Nos parents sont chez le directeur. Lorsque nous nous présentons dans le bureau, j'ai l'impression que tout se déroule au ralenti. Mais cette impression ne dure que quelques secondes.

— Les garçons, je n'aurais jamais cru que vous seriez capables de faire une chose pareille ! déclare mon père visiblement très, très, très fâché.

Octave est sur le point de recommencer à imiter les chutes Niagara. Juliette Dansereau, la mère d'Octave, vient prendre son fils dans ses bras en pleurant. Quelle paire de braillards !

— Comment avez-vous pu nous raconter un tel mensonge ? poursuit mon père.

L'arrivée de Clément et de Lasso crée une diversion. J'en profite pour attirer l'attention sur le professeur.

— Attention, papa ! Clément est un ancien bandit !

— Quoi ? s'écrient ensemble le professeur et le directeur.

— Oui ! Je l'ai entendu dire qu'il avait déjà eu des armes chez lui. Et puis, ce n'est pas pour rien que les malfaiteurs ne lui font pas peur.

Monsieur Bélanger pouffe de rire.

— Cher Hugo, ton imagination te joue des tours ! Clément n'a rien d'un malfaiteur. Au contraire, c'est un ancien… policier.

Oups ! J'aurais le goût d'avaler ma langue ! Je ne sais plus quoi tenter pour nous sortir de ce pétrin.

Clément s'adresse à nos parents.

— Si vous me le permettez, j'aimerais faire la lumière sur les événements.

Nos parents acceptent. Ça va peut-être calmer leur mauvaise humeur ! Le professeur se tourne vers nous.

— Au départ, nous voulions tout simplement créer de fausses pistes, question de compliquer la chasse au trésor. Pour toi, Hugo, ton professeur avait volontairement laissé un message dans la photocopieuse. Nous avions demandé la complicité de Boris et des animateurs du carnaval pour te faire croire à un club de chercheurs d'or. Mais ta persévérance les a déroutés. Et nous ne nous attendions surtout pas à ce que tu sortes des murs de l'école et que cette histoire de VRAI trésor prenne une telle tournure.

J'interromps son récit.

— Je vous ai vu, hier, redescendre du grenier.

— Ah oui ? Hé bien, je venais d'écouter aux portes ! C'est là que j'ai appris qu'un véritable trésor existait : celui de Mazipen Zanlepif. Et que nos complices du départ se prenaient un peu trop au sérieux en croyant que ce trésor pouvait se trouver dans l'école.

— Est-ce qu'ils sont méchants, Boris et les autres ? demande Octave.

Cette question fait sursauter le cowboy, qui jusqu'à maintenant restait bien sagement dans son coin. Clément lui jette un coup d'œil avant de répondre.

— Pas vraiment. Mais la convoitise de l'or les a rendus aussi… frondeurs que vous deux !

— Moi, j'y croyais pas, pleurniche mon ami.

Il dit ça juste pour moins se faire gronder !

— Enfin, heureusement que les parents d'Octave ont appelé monsieur Bélanger au cours de la soirée. Ils étaient passés devant l'école et avaient trouvé curieux de n'y voir aucune lumière.

— Mais, monsieur Boudine…

— Monsieur Boudine ? Hé bien, j'ai fait sa connaissance cet après-midi, après avoir entendu la conversation au grenier. Ta visite au château l'a beaucoup amusé, mais il n'a jamais pensé que le trésor se trouvait dans notre école.

Devant notre mine dépitée, monsieur Bélanger se lève et annonce :

— Bon ! Je crois que nous avons tous hâte de sortir d'ici. Les noms des gagnants de la VRAIE chasse au trésor seront annoncés demain.

Je veux savoir une chose avant d'aller écouter le sermon de mes parents.

— Euh… Clément, on croyait que la vitre de la photocopieuse était le miroir du premier indice.

— En fait, le premier indice menait au livre *Blanche-Neige et les Sept Nains* qui se trouvait bien en vue à la bibliothèque. En feuilletant ce livre, on repérait le deuxième indice à la page 7. Il se lisait ainsi : *Mère-grand, que vous avez de grandes dents !*

— C'est du *Petit Chaperon rouge* !

— Oui, Hugo. La plupart des élèves ont fait le lien avec l'affiche du loup, tous crocs sortis, dans la classe de Clément. Au verso, on pouvait lire : *Au secours, au secours, voilà monsieur le marquis de Carabas qui se noie !*

— Ça, c'est du *Chat botté* !

— Hé oui ! La solution à cet indice

n'était pas évidente. Il fallait penser à la bouée de sauvetage accrochée... ici!

Clément prend la bouée suspendue à un crochet entre les deux fenêtres.

— Monsieur Bélanger est un amateur de voile. Sa bouée a servi à camoufler le quatrième indice. La suite, vous l'apprendrez demain.

En sortant, Octave chuchote à mon oreille:

— On le connaît, cet indice! Je suis sûr que c'est Fanny Lacombe qui va gagner les vélos.

— Ce n'est pas grave. Avoue qu'on est des bons chercheurs d'or!

— Ah oui? On n'a même pas trouvé une pépite! Tu ne m'embarqueras plus dans tes aventures, Hugo Pelletier! Je te le promets!

Juliette Dansereau prend son fils par l'épaule et l'entraîne vers la sortie. On dirait que j'ai la peste et qu'elle doit éloigner Octave de moi à tout prix.

M.S. BÉLANGER

11

VÉLOS ET LINGOTS

Le lendemain, à mon arrivée à l'école, un spectacle rocambolesque m'attend. Une fourgonnette, avec le nom de la *Société des trésors d'or perdus* peint sur chaque côté, est garée devant. Il y a aussi un camion blindé et des policiers qui s'affairent autour. Bidule Boudine et Clément sont en grande conversation près de la porte de l'école. Je cours vers eux et leur demande :

— Que se passe-t-il ?

— Hugo, tu seras très surpris ! dit Clément.

— Laissez-moi l'honneur de lui

annoncer la grande nouvelle, implore monsieur Boudine.

Est-ce que Clément a invité le patron de la S.T.O.P. pour me faire une blague? Je me méfie.

— Quelle grande nouvelle?

— Hé bien, mon garçon, grâce à toi, nous avons trouvé le VRAI trésor!

— QUOI? J'en ai assez de vos fausses pistes, de vos faux trésors et de vos faux chercheurs d'or! J'ai compris qu'il n'y a pas de VRAI trésor. N'essayez pas de me faire croire à votre mise en scène. Il y a des limites à se moquer de quelqu'un!

— Mais…

Je suis vraiment exaspéré!

— Non, non et non! Je ne veux plus entendre parler de trésor. Déjà que tous les élèves vont rire de moi quand ils vont apprendre que j'ai mordu à votre hameçon.

— Mais, Hugo…

— Betterave mari…

Oh ! Je n'en crois pas mes yeux ! La porte vient de s'ouvrir et… et… deux hommes en uniforme transportent un coffre. Ils sont escortés par des policiers. Clément et monsieur Boudine me regardent d'un air triomphant.

— Si tu nous avais laissés placer un mot, Hugo, tu saurais déjà que monsieur Boudine a fait une trouvaille incroyable.

— En effet, j'ai passé la nuit à consulter des archives que la Société venait de recevoir et j'ai finalement retrouvé la trace du trésor de Mazipen Zanlepif. Dès la première heure, j'en ai avisé les autorités de l'école. Nous avons poursuivi la recherche que ton ami et toi aviez entreprise au grenier. Vous avez eu du flair !

— Ce coffre est le trésor de Machin-truc-au-grand-pif ?

— Hé oui ! Je ne te raconterai pas toutes les péripéties qu'a connues ce coffre, car cela prendrait des heures et des heures. En plus, les historiens perdent sa trace à une certaine époque. Ils la retrouvent au moment où un des ouvriers qui a construit l'école, il y a près de cent ans, est entré en possession du coffre. L'ouvrier est probablement mort en emportant le secret de son emplacement dans sa tombe. Personne, par la suite, n'a cherché à récupérer le trésor. Personne jusqu'à ce que tu viennes me mettre la puce à l'oreille.

Pendant que monsieur Boudine parle, les agents de sécurité placent le coffre dans le camion blindé.

— Avez-vous ouvert le coffre ?

— Non, pas encore. Mais je suis convaincu qu'il contient les lingots d'or de sir Zanlepif.

— Qu'allez-vous faire de ce trésor ?

— Euh… nous déciderons cela plus tard.

Malgré l'agitation qui règne à l'extérieur, nous devons entrer en classe. Après le dîner, tous les élèves sont rassemblés dans la grande salle pour clôturer le carnaval.

Monsieur Bélanger donne la solution des indices.

— … derrière la bouée, il y avait la phrase : *Anne, ma sœur Anne, ne vois-tu rien venir ?* Il s'agissait d'aller voir Anne, la responsable du service de garde, qui révélait alors le dernier indice : *Quelqu'un s'est couché sur mon lit ! grogne Papa Ours.*

Ensuite, le directeur invite l'équipe gagnante à venir dévoiler la cachette du trésor. Octave avait raison : c'est l'équipe de Fanny Lacombe qui a trouvé le coffre. Fanny s'installe au micro.

— Le seul lit de l'école se trouve à… l'infirmerie ! On a regardé sous le matelas, mais il n'y avait rien. Alors on a soulevé la base en bois et le coffre était là !

Elle exhibe fièrement les deux clés pour les vélos. Mon ami me regarde de travers. Il m'en veut encore de l'avoir entraîné sur la mauvaise piste.

Tout à coup, Bidule Boudine s'installe

au micro. Un murmure parcourt la salle. Que fait-il ici, cet après-midi ?

— Je me présente : Bidule Boudine, président de la Société des trésors d'or perdus. Comme vous le savez sûrement déjà, la persévérance de vos amis Hugo et Octave m'a permis de retrouver un trésor très précieux.

Toutes les têtes sont tournées vers nous. Je ne suis pas gêné d'habitude, mais en ce moment, je me sens le centre d'attraction, comme un perroquet rare dans une animalerie !

Monsieur Boudine raconte l'histoire du trésor de Zanlepif. Il nous montre ensuite un des lingots d'or que contenait le coffre. Après avoir toussé bruyamment, il prend un ton plus solennel.

— Mes chers amis, le conseil d'administration de la S.T.O.P. s'est réuni aujourd'hui et a pris une grande décision. En effet, nous allons remettre la valeur du trésor à votre école.

Un tonnerre d'applaudissements retentit. Betterave marinée ! L'école va être riche !

Monsieur Bélanger prend la parole, en imitant le ton solennel de monsieur Boudine.

— Grâce à ce généreux don, nous allons pouvoir rénover le gymnase, construire une piscine, acheter un module de jeux pour la cour, et j'en passe… Je vous demande de remercier chaleureusement monsieur Boudine.

Tous les élèves crient : « Merci ! Merci ! Merci ! »

Personne ne semble avoir remarqué la disparition du cow-boy et du cracheur de feu. Je me demande bien ce qu'il va leur arriver. Quant à Boris, on m'a dit qu'il aurait à s'expliquer devant les membres du conseil d'établissement. C'est sûrement aussi traumatisant que des parents, ça !

Lorsque la présentation est terminée, je m'approche de Clément.

— Voulez-vous savoir quand on a eu le plus peur, Octave et moi ? C'est quand vous avez déverrouillé la porte du grenier pendant qu'on cherchait la clé en bas.

— La porte du grenier ? Je n'y ai pas touché, moi !

En disant ces mots, Clément fait un clin d'œil à monsieur Bélanger.

Me prend-il pour un cornichon ou pour un bout de saucisson ?

TABLE DES MATIÈRES

EXTRAIT DU CATALOGUE

Boréal Junior

1. Corneilles
2. Robots et Robots inc.
3. La Dompteuse de perruche
4. Simon-les-nuages
5. Zamboni
6. Le Mystère des Borgs aux oreilles vertes
7. Une araignée sur le nez
8. La Dompteuse de rêves
9. Le Chien saucisse et les Voleurs de diamants
10. Tante-Lo est partie
11. La Machine à beauté
12. Le Record de Philibert Dupont
13. Le Bestiaire d'Anaïs
14. La BD donne des boutons
15. Comment se débarrasser de Puce
16. Mission à l'eau !
17. Des bleuets dans mes lunettes
18. Camy risque tout
19. Les parfums font du pétard
20. La Nuit de l'Halloween
21. Sa Majesté des gouttières
22. Les Dents de la poule
23. Le Léopard à la peau de banane
24. Rodolphe Stiboustine ou l'enfant qui naquit deux fois
25. La Nuit des homards-garous
26. La Dompteuse de ouaouarons
27. Un voilier dans le cimetière
28. En panne dans la tempête
29. Le Trésor de Luigi

30. Matusalem
31. Chaminet, Chaminouille
32. L'Île aux sottises
33. Le Petit Douillet
34. La Guerre dans ma cour
35. Contes du chat gris
36. Le Secret de Ferblantine
37. Un ticket pour le bout du monde
38. Bingo à gogos
39. Nouveaux contes du chat gris
40. La Fusée d'écorce
41. Le Voisin maléfique
43. Le chat gris raconte
45. Vol 018 pour Boston
48. Jean-Baptiste, coureur des bois
50. Le Monstre de Saint-Pacôme
52. Matusalem II
55. L'Œil du toucan
56. Lucien et les ogres
57. Le Message du biscuit chinois
58. La nuit des nûtons
59. Le Chien à deux pattes
60. De la neige plein les poches
61. Un ami qui te veut du mal
62. La Vallée des enfants
63. Lucien et le mammouth
64. Malédiction, farces et attrapes !
65. Hugo et les Zloucs
66. La Machine à manger les brocolis
67. Blanc comme la mort
68. La forêt qui marche
69. Lucien et la barbe de Dieu
70. Symphonie en scie bémol
71. Chasseurs de goélands
72. Enfants en guerre
73. Le Cerf céleste
74. Yann et le monstre marin
75. Mister Po, chasseur
76. Lucien et les arbres migrateurs
77. Le Trésor de Zanlepif
78. Brigitte, capitaine du vaisseau fantôme

Boréal Junior +

42. Canaille et Blagapar
44. Le Peuple fantôme

46. Le Sandwich au nilou-nilou
47. Le Rêveur polaire
49. La Vengeance de la femme en noir
51. Le Pigeon-doudou
53. Le Chamane fou
54. Chasseurs de rêves

Boréal Inter

1. Le raisin devient banane
2. La Chimie entre nous
3. Viens-t'en, Jeff !
4. Trafic
5. Premier But
6. L'Ours de Val-David
7. Le Pégase de cristal
8. Deux heures et demie avant Justine
9. L'Été des autres
10. Opération Pyro
11. Le Dernier des raisins
12. Des hot-dogs sous le soleil
13. Y a-t-il un raisin dans cet avion ?
14. Quelle heure est-il, Charles ?
15. Blues 1946
16. Le Secret du lotto 6/49
17. Par ici la sortie !
18. L'assassin jouait du trombone
19. Les Secrets de l'ultra-sonde
20. Carcasses
21. Samedi trouble
22. Otish
23. Les Mirages du vide
24. La Fille en cuir
25. Roux le fou
26. Esprit, es-tu là ?
27. Le Soleil de l'ombre
28. L'étoile a pleuré rouge
29. La Sonate d'Oka
30. Sur la piste des arénicoles
31. La Peur au cœur
32. La cité qui n'avait pas d'étoiles
33. À l'ombre du bûcher
34. Donovan et le secret de la mine

MISE EN PAGES :
LUCIE COULOMBE TYPOGRAPHE

ACHEVÉ D'IMPRIMER EN MARS 2002
SUR LES PRESSES DE L'IMPRIMERIE AGMV MARQUIS
À CAP-SAINT-IGNACE (QUÉBEC).